REJETÉ
DISCARD

CE LIVRE

APPARTIENT À :

La jaquette
© Texte de Kirsten Hall. Tous droits réservés. 2015
© Illustrations de Dasha Tolstikova. Tous droits réservés. 2015
© Les Éditions de la Pastèque pour l'édition française

Les Éditions de la Pastèque
C.P. 55062 CSP Fairmount
Montréal (Québec) H2T 3E2
Téléphone : 514 627-1585
www.lapasteque.com

Traduit de l'anglais (États-Unis) par Sophie Chisogne

Infographie : Stéphane Ulrich
Révision : Céline Vangheluwe et Sophie Chisogne

Dépôt légal : 3ᵉ trimestre 2015
Bibliothèque et Archives nationales du Québec
Bibliothèque et Archives Canada
ISBN 978-2-923841-72-4
(Édition originale : ISBN 9781592701681, New York)

La première édition de cet ouvrage est parue en octobre 2014 chez Enchanted Lion Books.

 Conseil des Arts   Canada Council
du Canada   for the Arts

Nous remercions le Conseil des Arts du Canada de son soutien.
L'an dernier, le Conseil a investi 157 millions de dollars pour mettre de l'art
dans la vie des Canadiennes et des Canadiens de tout le pays.

We acknowledge the support of the Canada Council for the Arts,
which last year invested $157 millions to bring the arts to Canadians
throughout the country.

Nous reconnaissons l'aide financière du gouvernement du Québec
par l'entremise de la Société de développement des entreprises
culturelles (SODEC) pour nos activités d'édition.

Gouvernement du Québec – Programme de crédit d'impôt
pour l'édition de livres – Gestion SODEC.

Nous reconnaissons l'aide financière du gouvernement du Canada
par l'entremise du Fonds du livre pour nos activités d'édition.

—

Catalogage avant publication de Bibliothèque et
Archives nationales du Québec et Bibliothèque et Archives Canada

Hall, Kirsten
   [Jacket. Français]
   La jaquette
   Traduction de : The jacket.
   Pour enfants de 4 à 8 ans.
   ISBN 978-2-923841-72-4
   I. Tolstikova, Dasha. II. Chisogne, Sophie. III. Titre. IV. Titre : Jacket. Français.
PZ23.H3385Ja 2015   j813'.54   C2015-940949-7

4 HAL
FR.

NOV '15 ✓

La jaquette

Texte
Kirsten Hall

Dessins
Dasha Tolstikova

BEACONSFIELD
Bibliothèque - Library
303 boul Beaconsfield,
Beaconsfield QC H9W 4A7

Bouquin était un livre qui avait presque tout
pour être heureux.

Il était solide et bien fait.
Ses mots étaient précis et enjoués.

ON VA LIRE
ENSEMBLE !

REGARDE,
J'AI DES IMAGES !

Mais Bouquin ne se sentait pas spécial.

Jour après jour, il attendait qu'un enfant le découvre ;
qu'une petite fille entre dans son monde,
qu'un petit garçon rie de son histoire.

Il voulait être aimé et choyé comme sont aimés
et choyés les livres préférés.

Pourtant, même les jours où Bouquin avait peur de n'être jamais découvert, il faisait de son mieux pour se tenir bien droit.

Et tout le temps il ouvrait l'œil, guettant l'enfant qui le remarquerait enfin.

Un jour, cela se produisit.

Bouquin tenait parfaitement
dans les mains de la fillette.

Elle l'emmenait partout, et il était
convaincu d'être la chose qu'elle
aimait le plus au monde.

Mais, en vérité, il y avait quelqu'un d'autre
que la petite fille aimait aussi énormément.

POUDING !

C'était son chien.

Bouquin pouvait comprendre
pourquoi la fillette adorait le canidé.

Il était fou, il était drôle,
il était tendre et adorable.

Il grattait à la porte.

Il se roulait par terre.

Il faisait des tours étonnants avec une balle et un bâton.

Il était tiède et douillet. Et il adorait la petite fille.

Bouquin avait un problème canin.

Un gros problème pataud, avec des dents
terribles et une grande langue humide.
Le chien était sale et mouillé, il léchait, il bavait.

Non, Bouquin n'aimait pas ce toutou,
mais pas du tout.

Le pire, c'est qu'il venait toujours gâcher
les moments tranquilles que Bouquin
passait avec la petite fille.

Par un après-midi paisible, alors que
Bouquin était délicieusement calé dans
les mains de la fillette...

... il y eut une explosion de BOUE.
Il y en avait PARTOUT !

Tant de boue que Bouquin ne voyait plus rien.
Il avait peur, mais n'osait pas pleurer :
les larmes détruiraient son encre et son papier.

Que s'était-il passé ?

Où était la petite fille ?

Soudain il l'entendit. Elle avait dans la voix
un tremblement inhabituel.

« Regarde ce que Pouding a fait ! pleurait-elle dans
les bras de sa maman. IL A ABIMÉ MON LIVRE ! »

Elle se tourna alors vers le chien et cria très fort :

DÉGAGE !

Ce soir-là, la maman de la fillette fit de son
mieux pour nettoyer la boue dont Bouquin
était maculé.

La petite fille le plaça sur sa table de nuit
et posa doucement la main sur sa couverture.
Il n'y aurait pas de lecture, ce soir.
Elle était triste et fâchée, elle broyait du noir.

Au matin, quand les oiseaux se mirent à chanter, Bouquin observait encore l'enfant qui dormait.

Il craignait qu'elle se remette à pleurer en voyant le triste état dans lequel il était.

Il savait bien qu'il n'était plus le livre parfait qu'elle aimait.

Tout ça par la faute du cabot.

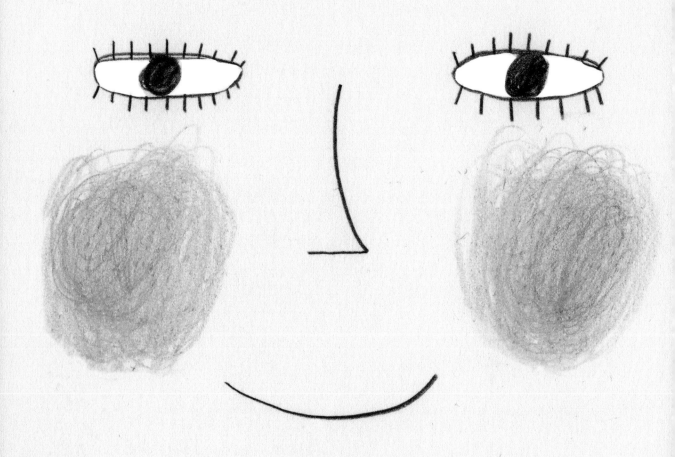

Mais quand la petite fille se réveilla,
la tristesse avait disparu de son regard.

Elle se mit tout de suite
à bricoler quelque chose.

Quelque chose pour lui...

Avec sa règle, elle mesurait
le dos de Bouquin.

Ça chatouillait même un peu.

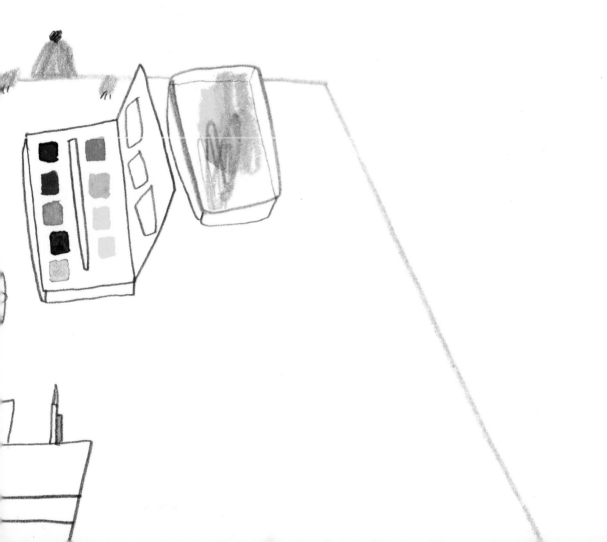

Enfin elle s'écria : « TADAM !
Tu ne seras plus jamais sale ! »

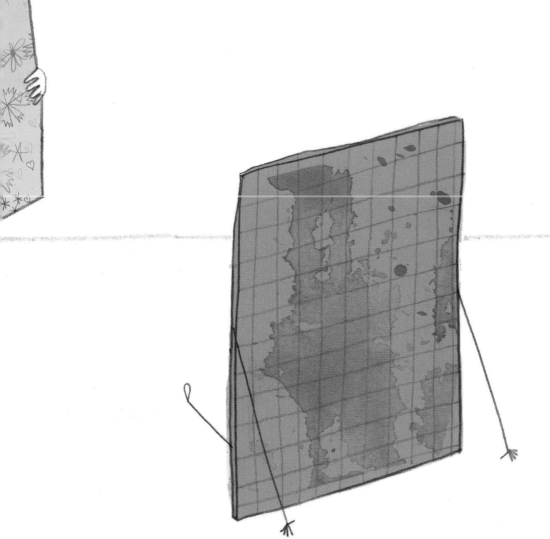

C'était une jaquette... un cadeau spécial
pour un ami très spécial!

COMMENT FABRIQUER UNE JAQUETTE

IL TE FAUT :

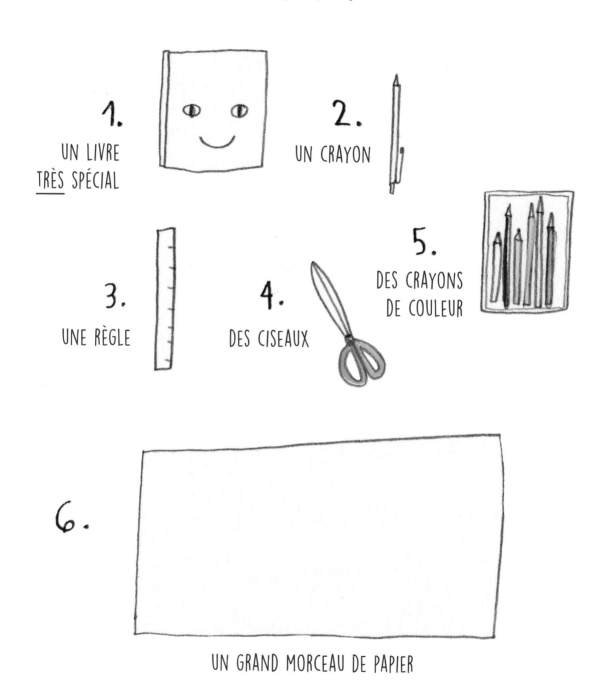

1.

UN LIVRE
TRÈS SPÉCIAL

2.

UN CRAYON

3.

UNE RÈGLE

4.

DES CISEAUX

5.

DES CRAYONS
DE COULEUR

6.

UN GRAND MORCEAU DE PAPIER

POUR TON LIVRE PRÉFÉRÉ

A) MESURE TON LIVRE.

B) REPORTE TOUTES LES MESURES SUR LE GRAND PAPIER, COMME CECI :

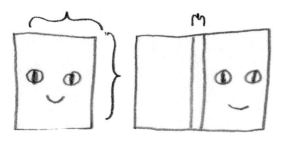

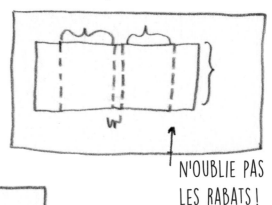

N'OUBLIE PAS LES RABATS !

D) REPLIE LA JAQUETTE SUR TON LIVRE.

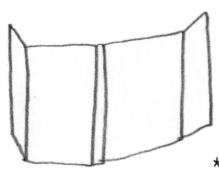

C) DÉCOUPE LE LONG DES LIGNES EXTÉRIEURES.

F)

REGARDE TON LIVRE, COMME IL EST FIER DE SON NOUVEL HABIT !

E) DÉCORE—LA À TON GOÛT.

* N'OUBLIE PAS DE DÉCOUPER DES TROUS POUR LES YEUX !

La Jaquette de Kirsten Hall et Dasha Tolstikova a été achevé d'imprimer en juin 2015
par l'imprimerie Imago, en Asie, pour le compte de La Pastèque, éditeur de livres depuis 1998.

REJETÉ
DISCARD